Un ladrón entre nosotros

Un ladrón entre nosotros

Premio Norma–Fundalectura 2005

Claudia Piñeiro

Ilustraciones de Francisco Villa

http://www.norma.com
Bogotá, Barcelona, Buenos Aires, Caracas,
Guatemala, Lima, México, Miami, Panamá,
Quito, San José, San Juan, San Salvador,
Santiago de Chile, Santo Domingo.

Piñeiro, Claudia, 1960-
Un ladrón entre nosotros / Claudia Piñeiro ; ilustraciones Francisco Villa. -- Bogotá : Grupo Editorial Norma, 2004.
93 p. : il. ; 19 cm. -- (Torre de papel. Torre azul)
Premio Norma-Fundalectura 2005.
ISBN 958-04-8390-6
1. Novela juvenil argentina 2. Robos - Novela juvenil 3. Ladrones - Novela juvenil 4. Estudiantes - Novela juvenil I. Villa, Francisco, il. II. Tít III. Serie.
A863.6 cd 19 ed.
AHZ7761

CEP-Banco de la República-Biblioteca Luis Ángel Arango

Impreso por Editorial Buena Semilla
Impreso en Colombia - Printed in Colombia
Abril, 2011

Ilustraciones: Francisco Villa
Edición: Cristina Puerta
Diagramación y armada: Catalina Orjuela Laverde

C.C. 11251
ISBN 958-04-8390-6
ISBN 978-958-04-8390-8

Contenido

Las monedas de Roberta

Que la escuela a veces se siente fangosa y aburrida no es novedad para nadie. Que cuando llueve y no se puede salir al parque las maestras gritan más y los chicos se portan peor tampoco es una primicia. Que en todos los colegios del mundo hay compañeros buenos y otros que no lo son tanto también lo sabemos. Pero lo que de verdad fue una sorpresa aquella tarde de lluvia, cuando volvíamos transpirados del recreo bajo techo, con los oídos todavía aturdidos por tanto grito y la amenaza de que firmaríamos el libro de disciplina, es que en nuestra aula se había cometido un robo. Y eso sí que era nuevo.

No nos dimos cuenta hasta que la maestra copió en el pizarrón una lista interminable de oraciones para que marcáramos sujeto, predicado, núcleos y todas esas cosas que uno tiene que marcar en las clases de Lengua, vaya a saber para qué. Siempre con tinta azul lavable, que es la única que se puede borrar con borratinta sin romper la hoja, porque si rompés la hoja la señorita Inés te baja un punto. Marcamos el sujeto con rojo y el predicado con azul, porque, como repite la señorita, tenemos que aprender a respetar las consignas, y si ella dijo rojo para el sujeto, y azul para el predicado, tiene que ser así, y si no te baja dos puntos. Y subrayamos cada parte de la oración con regla, porque si uno trata de hacer equilibrio trazando sobre otro lápiz o el borde de un libro, o se cree que se tiene buen pulso y se subraya en el aire, la señorita Inés se da cuenta enseguida y te baja tres puntos. Cuando estábamos en los primeros grados, los chicos más grandes nos hacían creer que la señorita Inés llevaba un detector de rayas sin reglas debajo del delantal. Pero ahora que estamos en cuarto sabemos que es mentira, que no existe esa clase de detectores. Ella las detecta a pura intuición. Porque para la señorita Inés, peor que tachar, peor que pegar la fotocopia torcida, peor que se te rompan los agujeritos de la hoja y le tengas que poner ojalillos, peor que les cambies los colores al sujeto y al predicado, peor que todo, es no usar la regla. El "SUBRAYAR, POR FAVOR" que escribe junto al título o a la fecha es más grande que el "MUY BIEN, DIEZ FELICITADO".

Fue por eso que Roberta se levantó y fue por la regla hasta el *placard* donde guardábamos las mochilas. Se había olvidado de sacarla al empezar la clase. Pero cuando abrió el cierre, la regla estaba y ese no era el asunto; el asunto era que Roberta se encontró con que su monedero había sido abierto. Y no quedaba ni una sola de sus monedas dentro.

—Me sacaron mis monedas —dijo en voz muy bajita, porque a Roberta la voz le sale siempre así—. Me sacaron las monedas —volvió a decir, con un tono apenas un poco más alto.

Entonces la escuchó Carmela, que se sienta justo al lado de las mochilas. Carmela se lo dijo a Patricia, y Patricia a Camilo y a Ámbar, que se sientan juntos; Camilo le contó a Enrique, mientras Ámbar se lo decía a Teresa; Teresa se inclinó hacia delante y se lo dijo a Marta y Enrique a mí; Marta no sé a quién se lo dijo y yo se lo dije a Iván, que justo se lo iba a decir a Pedro cuando la señorita Inés preguntó:

—¡¿Se puede saber qué está pasando?!

Y los veinte chicos de cuarto A gritamos:

—¡A Roberta le sacaron las monedas!

La señorita Inés, con los ojos grandes y la boca abierta, dijo:

—¿Qué?

Y enseguida miró hacia el *placard* de las mochilas. Todos miramos. Todas las cabezas del aula, excepto la de Roberta, miraban en una misma dirección, como si fuera

un partido de tenis y la pelotita se hubiera quedado detenida allí eternamente.

Roberta, que seguía parada junto al *placard*, con el monedero vacío en una mano y la regla en la otra, con su voz que casi no se escucha y los cachetes llenos de pecas, cuando vio que todas las cabezas la miraban a ella, se puso a llorar tan fuerte como nunca antes la había oído.

—Me sacaron mis monedas… Me sacaron mis monedas… —repetía entre suspiro y suspiro.

Una pena

La verdad es que el episodio de las monedas de Roberta pasó sin pena ni gloria. Excepto por la pena que tuvo Roberta, que nunca más las encontró. Aquella tarde del primer robo, la señorita Inés vació la mochila sobre un banco para ver si las monedas no se habían caído dentro. Nada. Cayó el diccionario, el cuaderno de comunicaciones, un sobre rosado con calcomanías de corazones que Roberta se apuró a guardar en su bolsillo, un paquete de galletitas empezado y nada más.

—¿Estás segura de que tenías monedas en ese monedero?

—Sí, estoy segura —dijo Roberta, todavía suspirando—. Mi mamá me dio hoy un billete de cinco pesos, en el recreo gasté dos y me quedaron tres monedas.

—¿Y estás segura de que esas tres monedas las guardaste en ese monedero?

—Sí...

—¿Segura, segurísima...? —insistió.

—Eh... sí...

—Dudaste... —dijo la maestra, como si la hubiera descubierto en una falta.

—No... no dudé... Siempre las guardo en ese monedero...

—Yo no me refiero a lo que hacés siempre, me refiero a lo que hiciste hoy; porque aunque siempre las guardas en ese monedero, si hoy no las guardaste allí, entonces esas monedas podrían estar en otra parte. Podrías haberlas perdido saltando en el parque, por ejemplo…

—Hoy no salimos al parque porque llovía —dijo Iván desde su pupitre—. ¿Se acuerda, señorita…?

Y parece que la señorita se acordaba, sobre todo de lo mal que nos habíamos portado, porque miró a Iván muy seria, pero no le dijo nada, y siguió con su interrogatorio.

—O podrían haberse caído de tu bolsillo cuando fuiste al baño —dijo, y el comentario les despertó la risa a dos o tres varones y se le fue contagiando al resto, hasta que la señorita gritó—: ¡¿Se puede saber de qué se ríen?!

Y todos ahogamos la risa, pero nadie le contestó.

—Cierto, a lo mejor las monedas se le fueron por el inodoro… —dijo Ámbar, a quien la imagen de Roberta en el baño no le había producido risa alguna.

Y en cuanto Ámbar terminó de decir la palabra "inodoro", los demás explotamos en carcajadas, tratando inútilmente de retener el aliento contenido.

—¡Silencio! —gritó otra vez la maestra—. ¿Les parece bonito reírse de una compañera a la que se le perdieron tres monedas?

Y esa frase de la señorita Inés me hizo dar cuenta de dos cosas. Primero, que las maestras muchas veces no tienen ni la menor idea de qué nos reímos. Segundo, que la señorita Inés había cambiado el verbo. Roberta había dicho "me sacaron mis monedas", y la señorita dijo "las monedas que se le perdieron". Es muy diferente que a uno le saquen algo a que uno lo pierda. La señorita Inés sabe mucho de verbos, así que es bastante difícil que lo hubiera cambiado sólo por equivocación. La ayudó a guardar sus cosas nuevamente en la mochila y le dijo:

—Si alguien las encontró, las va a dejar en la secretaría.

Roberta no parecía conforme, pero se resignó y los suspiros empezaron a espaciarse hasta desaparecer. Enrique se acercó a mi oreja y me dijo:

—El otro día fuimos al cine con mi familia, mi hermano mayor encontró un billete de cinco pesos tirado en el piso y no lo dejó en ninguna parte. Se lo metió en el bolsillo, y cuando terminó la película compró palomitas de maíz.

Enseguida sonó la campana de salida. La tarde se había ido muy rápido, entretenidos como estábamos con el tema de las monedas. Cuando pasamos frente a la secretaría, Roberta entró a preguntar si alguien había devuelto tres monedas de un peso. Me quedé a un costado para escuchar qué le decían. Salió otra vez con lágrimas en los ojos, me acerqué y le pregunté si había habido novedades.

—Nadie devolvió nada, Ramón.

Lo dijo con esa vocecita suave que tiene, que casi ni se escucha. Lo dijo tratando de no llorar, pero los cachetes pecosos le temblaban y otra vez volvieron los suspiros. Todo en aquella tarde en la que ya no llovía me parecía de una pena infinita. Así que dije exactamente eso:

—¡Qué pena infinita! —y me sentí un tonto; ningún chico dice "Qué pena infinita".

Si me hubiera escuchado Damián, el líder de mi clase, el chico al que todos los chicos siguen, se habría burlado de mí. Siempre se burla cuando digo frases como esa. Tendría que haber dicho cualquier otra cosa, pero no se me ocurrió más que eso.

Roberta se fue suspirando por el camino que llevaba a la calle. Yo fui caminando unos pasos detrás de ella. Otra vez estaba seguro de dos cosas: de que Roberta no había perdido las monedas ni en el recreo ni en el baño; y de que, en el supuesto e improbable caso de que las hubiera perdido allí, las habría encontrado el hermano mayor de Enrique.

Al día siguiente, Roberta estaba más callada que de costumbre. Me acerqué en un recreo a preguntarle. Pero antes me preparé; no quería decir otra vez una frase como la del día anterior, que tanto fastidio me había provocado.

—¿Cómo estás? —le dije.

—Bien... —me contestó algo sorprendida, porque no es muy común que los varones nos acerquemos en los recreos a las mujeres a preguntarles cómo están.

—Hoy no dejes las monedas en el monedero, ponételas dentro de las medias. Molestan un poco cuando corrés, pero es un lugar muy seguro.

—Hoy no tengo monedas… Mi mamá dijo que por dos semanas no me va a dar más plata para los recreos, para que aprenda…

—¿Para que aprendás qué?

—A cuidarla —dijo, y se le llenaron los ojos de lágrimas como el día anterior.

Y debe ser que las lágrimas de Roberta a mí me producen una especie de tara verbal, porque casi digo otra vez "¡Qué pena infinita!", pero por suerte tocó la campana y tuvimos que volver a clase.

La pluma dorada

Pasaron tres días hasta que volvió a faltar algo. Esta vez no fue plata, y esta vez no fue Roberta sino Ámbar, que no llora y que tiene una voz muy potente. Así que cuando después del almuerzo fue al aula con Luba, a buscar la pluma con tinta dorada que le había regalado su papá la noche anterior, y la pluma no estaba adentro de su cartuchera, que era donde tenía que estar, sus gritos se escucharon desde el aula de séptimo a la de primero.

—¡Alguien me sacó mi pluma dorada!

La maestra, que venía por el pasillo, entró asustada por los gritos.

—¡Me robaron mi pluma nueva!

—¿Cómo que te robaron? —dijo la maestra, más preocupada por el verbo usado que por el hecho en sí mismo—. ¿Vos dónde la dejaste?

—En mi cartuchera —dijo, segura, Ámbar.

—¿Revisaste bien?

—Sí, muy bien revisé, revisé excelentemente, y no está... Mire... —dijo, mientras le mostraba la cartuchera abierta.

Luba se puso colorada por los gritos de su amiga, y le dio un empujoncito discreto para que se calmara. Pero el empujoncito no produjo el efecto esperado.

—¡Quiero que me devuelvan mi pluma dorada! —gritó con voz de megáfono.

—Vamos a tranquilizarnos un poco, porque con nervios no se consigue nada —dijo la señorita Inés, que a esa altura ya estaba también bastante nerviosa.

Luba asintió enseguida con la cabeza, pero Ámbar apenas si pudo callarse, se cruzó de brazos, rígida, y cerró la boca bien apretada para obligarse a no abrirla a menos que se lo pidieran. Cosa que enseguida hizo la señorita Inés.

—¿Estás segura de que la habías puesto ahí?

—Sí, estoy muy, pero muy segura —evidentemente con ella no iba a ser tan fácil como con Roberta.

—No hay ninguna posibilidad de que la hayas dejado en otra parte…

—¡No! —dijo, rotunda.

Y Luba, que seguía a su lado y que es la mejor alumna y de la que nadie nunca duda nada, lo corroboró.

—Yo estaba con ella; antes de irnos al comedor me mostró su pluma dorada, la guardó y nos fuimos. Cuando volvimos, ya no estaba.

—Se debe haber caído —dijo la maestra y se agachó al piso en busca de la pluma.

Ámbar se fastidió más aún. Luba hizo un gesto como para agacharse a ayudar a la señorita, pero Ámbar la detuvo.

—Si ella quiere ensuciarse las rodillas, que se ensucie. Vos y yo sabemos que mi pluma estaba en mi cartuchera —le dijo con una voz un poco más baja pero no menos enojada.

La señorita Inés se incorporó con las manos llenas, pero sin la pluma de Ámbar. Traía la goma de Iván, la regla de Lorenzo, el peine de Marta, un botón de origen desconocido, dos sacapuntas, tres lápices negros, un compás y dos caramelos.

—En el piso no estaba…

—¡Me robaron mi pluma dorada! —volvió a sus gritos Ámbar.

—No me gusta que digas que te "robaron". Los compañeros no roban, al colegio no entran ladrones, así que tiene que haber pasado alguna otra cosa.

—¿Como qué?

—Alguien la debe haber tomado prestada. Cuando vuelvan todos los chicos del recreo, preguntamos y vas a ver que aparece.

Y la señorita Inés, harta de gritos que no eran suyos, se dio media vuelta y se sentó a corregir cuadernos en su escritorio, dando por finalizada la conversación.

Cuando todos los chicos volvieron del almuerzo y estuvieron sentados cada uno en su banco, derechitos y en silencio, la señorita Inés preguntó por la pluma de Ámbar. Nadie la había visto. Pero varias nenas, en el afán de colaborar y de que sus compañeros identificaran con claridad de qué pluma estaban hablando, mostraron sus propias plumas doradas.

—Seguro era como esta… —dijo María.

—La mía la compró mi mamá en el supermercado —dijo Carmela, mostrando la suya.

—A mí me la regaló mi abuela —dijo Patricia, que sacó su pluma de la cartuchera y se la pasó a Lorenzo para que la viera.

—Yo también la tengo, pero la mía está sin estrenar, no quiero que se me gaste en pavadas —dijo Morena, a la que casi todas las cosas de chicos le parecían siempre pavadas.

La señorita Inés se empezó a interesar.

—A ver... Traigan acá esas plumas...

Las chicas, que no sospechaban lo que se le cruzaba por la cabeza a nuestra maestra, se sintieron importantes y marcharon hacia su escritorio, agitando en el aire las plumas doradas.

—¿Pero son todas idénticas o me parece a mí? —preguntó la señorita Inés mientras las revisaba, aunque sabía bien la respuesta.

—Sí, son el último modelo de plumas doradas, ese al que le hacen la propaganda por la televisión: "Querés brillar, comprate la pluma dorada" —dijo Carmela, imitando a la locutora.

—Y si son todas idénticas..., ¿cómo sabemos que una de estas plumas no es la pluma de Ámbar? —preguntó nuestra maestra.

—La mía tiene nombre —aclaró Carmela.

Y era cierto: en un bordecito decía "Carmu" con tinta indeleble azul.

—Exactamente, la de Carmela es la única distinta, porque es la única que tiene nombre.

—La mía está llena —dijo Morena, indignada.

La señorita midió los cartuchos al trasluz de la ventana.

—Yo creo que todas tienen más o menos la misma cantidad de tinta —la maestra le devolvió la pluma con nombre a Carmela y mezcló las otras sobre su escritorio, ante los ojos azorados de las chicas y la desesperación absoluta de Morena—. ¿Quién se atreve a decir cuál es la suya?

No había terminado de entonar la pregunta, cuando las manos de las niñas se abalanzaron sobre el escritorio, cada una en busca de la pluma que creía suya, pero la maestra las detuvo. Y sin decir "agua va", la señorita Inés nos dio a todos un largo discurso. A los que tenían plumas doradas y a los que no. Un discurso sobre la importancia de que los útiles tengan nombre. Si no, dijo, ¿cómo puede uno saber qué lápiz es de uno, o qué goma, o qué pluma dorada? Por más que Patricia, María y Morena dijeron una y mil veces que ellas sabían perfectamente que esas eran sus plumas, la señorita insistió en que a veces uno cree que dejó una cosa en un lugar, pero la dejó en otro. Lo peor de todo fue que Ámbar, que hasta un momento atrás afirmaba que estaba segura, muy segura y cien veces segura de que había dejado su pluma en su cartuchera, empezó a dudar. O a hacerse la que dudaba.

—Sí… a lo mejor… yo pensé… pero se me cayó… y alguna de ustedes la guardó pensando que era la suya… Es verdad lo que dice la señorita Inés, tenemos que ponerles el nombre a todas nuestras cosas; si no, ¿ahora cómo sabremos de quiénes son esas plumas?

María y Patricia la miraron con indignación. Morena intentó agarrar su pluma de arriba del escritorio, pero la señorita Inés se lo impidió con un gesto rápido. Luba se acercó al oído de Ámbar y le recordó que ella era testigo de que su pluma estaba en su cartuchera cuando salieron a almorzar, pero Ámbar la calló de un empujón bastante menos discreto que los que da Luba.

—Yo quiero recuperar mi pluma, y si para eso tengo que decir que la dejé donde no la dejé, eso voy a decir… —le dijo a su amiga entre dientes, pero muy resuelta.

—Vos sabés muy bien que ninguna de esas es tu pluma —insistió Luba.

—¿Cómo puedo saberlo si ni siquiera lo sabe nuestra maestra?

Y Ámbar avanzó hacia el escritorio a juntarse con las otras chicas que disputaban las plumas. La señorita Inés, sin imaginárselo, se había metido en un problema mucho más difícil de resolver que un robo. Y quien piense lo contrario, que tenga el valor de enfrentarse a cuatro chicas y tres plumas doradas sin nombre, y que después me cuente. Empezaron peleando más o menos civilizadamente, pero poco a poco el tono fue subiendo, alguien empujó a no sé quién, otra le tiró del pelo, la que fue tironeada por el pelo devolvió al aire un codazo, y terminaron las cuatro gritando desaforadas y agarradas de las mechas, mientras la señorita Inés se esforzaba inútilmente por separarlas. Carmela, a un costado, se aferraba a su pluma con nombre y se alejaba poco a poco. El resto de las niñas de la clase tomaban partido por una o por otra desde sus pupitres. Y los varones disfrutábamos. Es que todavía sobrevive una creencia, que debe venir de tiempos antiguos y un país remoto, una creencia que las niñas y sus madres se esfuerzan por mantener viva, y que dice: "Las niñas se portan mejor que los varones". El que enunció esa teoría, cuanto menos, no conoció a mis compañeras. Ese día creí que, de verdad, la señorita Inés iba a dejar de ser la señorita Inés y se iba a meter en medio de la lucha, no a separarlas, sino a terminar con ellas. Pero el espíritu docente pudo más que su enojo y, sacando fuerza de dónde ya no tenía, gritó:

—¡Basta!

Lo cual no sirvió para calmar a las chicas, pero sí para alertar a la directora, que justo pasaba por el pasillo y entró al aula preocupada.

—¡¿Qué está pasando acá?! —dijo y fue suficiente para que María le soltara el pelo a Ámbar, para que Patricia dejara sobre el escritorio la pluma dorada que acababa de guardar disimuladamente entre sus ropas y para que Morena se pusiera a llorar como loca:

—¡Yo no quiero firmar el libro de disciplina...! ¡No quiero...! ¡Mi mamá me mata!

Después de escuchar el relato de los acontecimientos que hizo la señorita Inés, la directora miró a las chicas con cara de reprobación, y luego nos habló a todos, palabras más palabras menos, con las mismas palabras que había usado antes la maestra para concluir que esto no habría sucedido si le hubieran puesto nombre a las cosas. Así que las plumas quedarían en la dirección por tiempo indefinido para que… para que… para que… No le salían las palabras.

—Para que aprendan —se acercó Roberta y me dijo al oído.

—Para que aprendan y reflexionen acerca de lo sucedido —dijo la directora, no porque la hubiera escuchado, sino porque eso era lo que quería decir.

Me di vuelta y le sonreí a Roberta que se sentaba detrás de mí. Ella también me sonrió. Roberta tiene una muy linda sonrisa.

Encuentro en la biblioteca

Al día siguiente, Luba y Roberta me vinieron a buscar en un recreo.

—¿Podemos hablar con vos? —dijo Luba.

Y el problema esta vez no fue lo que dije, porque dije "sí" y esa fue una respuesta razonable a la pregunta formulada. El problema fue que me puse colorado, desde la frente hasta la punta de los pies. El calor me subía y me bajaba como si alguien estuviera lanzando bolas de fuego dentro de mí. Por suerte, ellas no estaban muy

atentas a mis calores; ni siquiera me miraron. Estaban preocupadas por otra cosa, observaban a su alrededor, a un lado y al otro, tratando de confirmar que no había nadie cerca espiándonos.

—Te esperamos en el próximo recreo en la biblioteca —dijo Luba, y se llevó a Roberta de la mano.

Sonó la campana, y para cuando llegué al aula, después de pasar por el baño a lavarme con agua fría, mi cara ya no ardía. Teníamos clase de Matemáticas. Divisiones y multiplicaciones. Hice los ejercicios más rápido que nunca. Me gustan las Matemáticas, pero además quería que la hora pasara rápido; estaba ansioso por que llegara el momento de estar en la biblioteca escuchando lo que Roberta y Luba me querían contar. Cada tanto, en medio de la clase, cruzábamos miradas los tres, pero con mucho cuidado de no delatarnos. Ellas también parecían ansiosas. Cuando fue la hora del recreo, Iván se me pegó.

—¿Jugamos a la pelota?

—No, hoy no, voy a leer un rato a la biblioteca...

—Ah, me gusta la idea, te acompaño... —me dijo, entusiasmado.

El entusiasmo no se debía a que Iván fuera un buen lector; yo tampoco lo era, pero cada tanto íbamos a la biblioteca juntos a ver la enciclopedia donde aparecía el cuerpo humano desnudo y a leer nombres prohibidos. No es lo mismo decir ciertas palabras que verlas escritas en una enciclopedia. Uno aprende, por ejemplo, que frases como "esa palabra no se dice...", nunca son terminantes y que siempre habrá excepciones permitidas. Porque te dicen "no se dice", y después la mismísima palabra aparece impresa en una enciclopedia de la lengua castellana. Y, si aparece en una enciclopedia, será porque, en algunas circunstancias, alguien la dice, o la palabra habría desaparecido. Tita, la bibliotecaria, debía pensar algo parecido acerca de la enciclopedia y sus palabras prohibidas. Nunca lo hablamos, pero, cuando descubrió lo que hacíamos, no nos retó, aunque puso una condición para prestarnos la enciclopedia en el futuro: que cada día, antes de usarla, debíamos leer un cuento, uno por recreo. Si queríamos podía ser uno corto, por lo menos las primeras veces; y sólo después de hacerlo, nos podíamos dedicar "a incrementar nuestros conocimientos acerca de las Ciencias Naturales". Me pareció un trato justo, pero, por esas cosas que a veces suceden sin que uno se las proponga, todavía no lo había utilizado.

Hasta ese día, en que usé su proposición, pero con otros fines.

—Es que no creo que te diviertas, voy a leer un cuento que me preparó Tita —le mentí.

—¡Dale, Ramón, y después vemos las láminas del cuerpo humano!

—Es que es un cuento muy largo... No sé si va a quedarnos tiempo para la enciclopedia.

—Hacemos que lo leemos...

—Tita después te lo toma...

—Le mentimos un poco, leemos renglones saltados como para poder inventar...

—Y me dijo que después hay que contar el cuento en el aula... a todos los chicos, y a los chicos de otros cursos...

—¡Qué pesada!

Por fin sentí que la excusa empezaba a funcionar, pero, para no dejar margen de error, agregué:

—Y es un cuento de tres hermanitas huérfanas que juegan todo el día a la muñeca, y un día se ensucia la ropita de las muñecas y la tienen que ir a lavar al río...

—No, pará, pará, no me interesa nada ese cuento... Mejor andá vos. Yo voy a ver si encuentro a alguien para jugar a la pelota un rato.

Y se fue. Llegué a la biblioteca unos minutos tarde.

Luba y Roberta me estaban esperando. No parecían enojadas por la tardanza. Leían juntas un libro que cerraron al verme llegar y dejaron en una silla al costado de la mesa.

—Roberta está segura de que las monedas las puso en su monedero, y yo estoy segura de que Ámbar dejó su pluma dorada en la cartuchera —empezó Luba.

—O sea que las dos estamos seguras de que alguien se está llevando cosas de nuestra aula —dijo bajito Roberta.

No agregué nada. Sólo asentí. Yo también estaba seguro de que alguien se había llevado esas cosas. Y no sabía por qué. Tal vez por la cara de Roberta el día que le sacaron sus monedas. O por la de Ámbar, cuando mentía que una de las plumas de sus compañeras podía ser la suya. O por la de Luba, cuando miraba la cara de Ámbar cuando mentía. O porque tal vez yo tenía la misma intuición que la señorita Inés para detectar rayas trazadas sin regla; sólo que yo la usaba para otra cosa. Lo cierto es que ya lo sabía, y por eso fue que no me sorprendí cuando ellas me lo dijeron. Sí me sorprendí después, cuando me explicaron para qué me habían citado allí.

—Queremos armar un equipo para descubrir quién es el que se llevó las cosas —dijo Luba.

—Y queremos que en ese equipo estés vos, Ramón... —dijo Roberta.

Otra vez las bolas de fuego dentro de mi cuerpo.

—¿Por qué yo?

—Porque necesitamos un hombre... Creemos que el ladrón es un hombre... —dijo Luba.

—¿Por qué piensan eso?

—Porque los dos robos fueron a mujeres —habló otra vez Luba, mientras Roberta asentía.

—¿Y eso qué tiene que ver...?

—Que entre ustedes no se van a robar... —dijo Roberta tímidamente.

—Tengo mis dudas de que no pudiéramos robarnos entre nosotros. De lo que no tengo dudas es de que ustedes entre ustedes sí podrían... Mirá como se agarraron de las mechas el otro día.

Las chicas dudaron, se miraron. Hubo un silencio y luego Roberta le dijo a Luba:

—Tiene razón.

Y Luba también lo reconoció.

—Estamos de acuerdo en que las cosas se las llevó alguien. Pero puede haber sido hombre o mujer. Incluso estuve pensando que podría haber sido alguien que no esté en el aula con nosotros, que no sea nuestro amigo —dije.

—Ojalá... —dijo Roberta.

—Tendríamos que montar guardia cerca de la puerta del aula todos los recreos, empezando mañana. Cualquier movimiento sospechoso, lo investigamos. ¿Qué les parece? —dijo Luba—. Creo que entre los tres lo podemos descubrir.

—¿Aunque ya no sirva tanto que sea hombre? —dije yo.

Las chicas se miraron y asintieron con la cabeza.

—Yo quiero que vos estés. ¿Vos querés? —preguntó Roberta.

—Sí, quiero —dije.

Las chicas se tentaron de risa con mi frase, que sonó a casamiento, y yo, que ya estaba empezando a hartarme de mis frases incontenibles, ni siquiera me puse colorado, sino que me reí con ellas.

Luba nos pidió que pusiéramos la mano derecha sobre la suya, y luego inventó un juramento.

—Esto es un equipo de tres, esto es un secreto de tres, esta es una misión de tres: Roberta, Ramón y Luba —dijo ella.

Y nosotros repetimos.

—Esto es un equipo de tres, esto es un secreto de tres, esta es una misión de tres… Roberta, Ramón y Luba.

—¡*Hip, hip, ra*! —dijimos, y alzamos las manos en el aire.

Se pararon para irse. Yo también me paré.

—Vos salí dentro de dos minutos, así no despertamos sospechas —dijo Luba, y me empujó otra vez sobre mi silla.

—Chau —dijo Roberta y me regaló otra sonrisa rodeada de pecas.

Obedecí. Evidentemente no iba a ser yo el capitán de ese equipo.

Mientras esperaba a que pasaran esos dos minutos me puse a hojear el libro que las chicas habían dejado en la silla al cos-

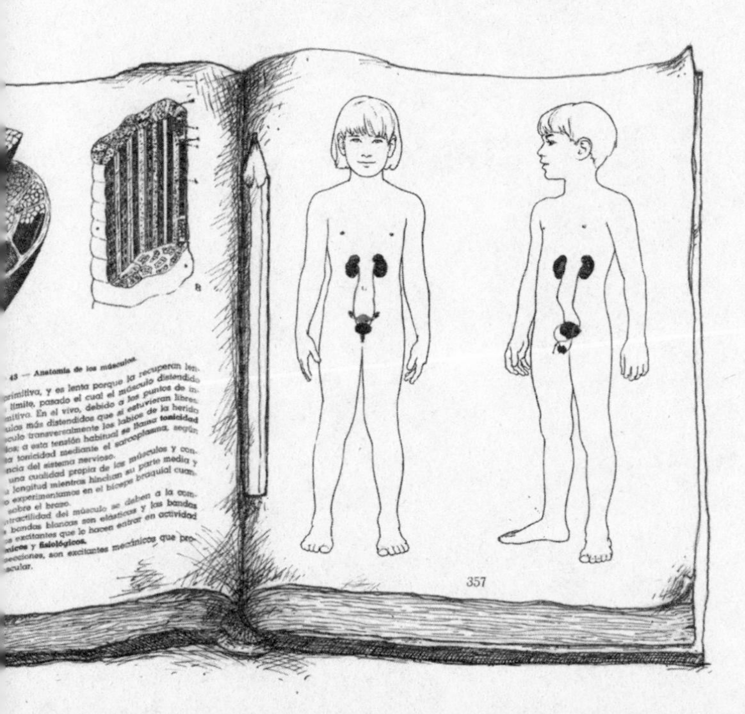

tado de la mesa. Era la misma enciclopedia que íbamos a leer con Iván en los recreos. El lápiz negro de Luba había quedado entre la página 356 y la 357, justo donde aparece el cuerpo humano desnudo.

Enojos cruzados

Durante una semana montamos guardia todos los recreos frente a la puerta que lleva del patio a nuestra aula. No fue muy útil. No sólo no vimos nada sospechoso, sino que además nos trajo ciertos inconvenientes. Ámbar le declaró públicamente la guerra a su ex amiga Luba. La relación ya había quedado resentida después del episodio de la pluma dorada. Pero el hecho de que Luba se pasara todos los recreos con Roberta o conmigo, y que rechazara las invitaciones de Ámbar para jugar con ella, terminó de enojarla. Y el problema es que cuando Ámbar se enoja con alguna de las chicas del curso, se encarga de que las otras también se enojen, así que casi ninguna parecía demasiado simpática con Luba por aquellos días, a excepción de Roberta.

—Seguro les habrá dicho algunas de sus mentiras —dijo Roberta, cuando se dio cuenta de que las chicas pasaban junto a ellas y apenas las saludaban.

—Si le creyeron, es porque ellas tampoco son tan buenas amigas —dijo Luba, que parecía segura cuando hablaba, pero sus ojos brillosos de lágrimas apretadas decían lo contrario.

Para mí la cosa fue igual de complicada. Damián fue el primero en enojarse conmigo y, como es su estilo, vino a molestarme por pasarme el recreo con mujeres.

—¿Qué hacés, mariquita? —dijo, cuando pasó junto a nosotros.

Me hice el que no lo había escuchado. Me resultaba difícil contestarle a Damián cuando se las agarraba conmigo. Al rato se me ocurrían un montón de frases ingeniosas que debería haberle dicho, pero en el momento me quedaba mudo, paralizado ante el temor de decir una tontería. Él insistió.

—¿A qué juegan? ¿A las muñecas? —y se rio. Los dos que lo acompañaban también se rieron.

—¿Por qué no te callás, tonto? —le dijo Luba.

Y Damián la miró con cara de galán de telenovela y le dijo:

—A mí una chica no me va a decir lo que tengo que hacer o dejar de hacer. Yo no soy como ese que tenés al lado…

—Ser como "ese" es lo que quisieras —dijo Roberta con voz un poco menos bajita que lo habitual—. Si fueras como él, a lo mejor estarías con Luba, que es lo que más te importa en el mundo, ¿o no?

Vi a Damián turbado como nunca en los años que llevábamos de colegio. Ni siquiera lo vi así cuando Lorenzo le batió el récord de velocidad en las últimas competencias de atletismo. Quería decir algo, pero abría la boca y la cerraba sin que le saliera palabra alguna, mientras se movía rápido sin ir a ninguna parte. Entonces Roberta dio el tiro final y dijo con voz todavía un tono más alta:

—¿O te creés que tus amigos no nos contaron que gustás de Luba?

Luba la miró extrañada. Los amigos de Damián, sorprendidos. Yo le sonreí, sabía que Roberta estaba mintiendo, y ella me guiñó un ojo cuidándose de que los otros la vieran. Damián no la miró, frunció la frente y se puso más rojo que yo el día en que las chicas me dijeron que me esperaban en la biblioteca. Se dio vuelta furioso y les gritó a sus amigos:

—¡¿Quién de ustedes fue el idiota que dijo eso?!

Y, sin esperar respuesta, salió enérgico y veloz detrás de sus amigos, que no perdieron tiempo en explicaciones y corrieron tan rápido como sus piernas se lo permitieron.

Pero el único molesto conmigo no fue Damián. También Iván me habló de mi actitud en los recreos. Estaba preocupado, creía que me pasaba algo con él, porque hacía varios días que rechazaba sus invitaciones para jugar a la pelota o a lo que fuera. Claro que no me pasaba nada con Iván, si es mi mejor amigo. Se lo dije, pero como no tenía respuesta a por qué no jugaba con él, Iván no parecía del todo conforme. No me gustaba verlo así, y lo entendía; a mí tampoco me hubiera gustado que él no jugara conmigo sin darme explicaciones. Entonces decidí decirle una parte, sólo una pequeña, alguna fracción de la historia en la que estaba metido que le alcanzara para comprenderme sin faltar a mi juramento. Le dije que tenía que pasar un tiempo con Luba y Roberta investigando algo, pero que ese algo era secreto. Pensé que lo iba a entender, pero Iván se puso peor, y dijo que si de verdad yo era su amigo se lo tenía que decir. Y yo le dije que yo era su amigo, su mejor amigo, pero que no podía faltar a mi palabra con las chicas. Y él me dijo que, por no faltar a mi palabra, estaba faltando a mi amistad con él. Y entonces yo le dije:

—Tenés razón.

Y le conté todo. Uno a veces hace cosas que no debería hacer. Pero tenía mucho miedo de que, si me negaba, Iván no quisiera ser más mi amigo. Me escuchó con atención.

—Prometeme que no se lo vas a decir a nadie… —dije, cuando terminé de contarle todo con lujo de detalles.

—Prometido —dijo, levantando la mano en juramento—. ¡Cómo me gustaría que me hubieran llamado a mí para ayudarlas!

—No sé… Si vos querés…, yo intento decirles si podés investigar con nosotros…

—No, a mí no me registran, sobre todo Luba; cada vez que me acerco, es como si no me viera…

—¿Cuándo te acercaste a Luba? Yo no me di cuenta.

—Parece que vos tampoco me ves. Ustedes sólo tienen ojos para atrapar ladrones —dijo, y ya no dijo más.

No parecía enojado, sino más bien triste. Entró la maestra y llenó el pizarrón de preguntas de Historia. Iván se puso a copiar la tarea sin levantar la vista de su carpeta. Intenté hablarle dos o tres veces más mientras completábamos el cuestionario, pero se hizo el concentrado en su tarea y me pareció mejor no insistir. Fuera lo que fuera, ya se le iba a pasar; a Iván nunca le duran mucho tiempo los enojos.

Así fueron pasando los días, sin robos, pero con caras largas por todos los costados.

El viernes, cuando ya había pasado una semana completa de funcionamiento de nuestro equipo, nos quedamos charlando a la salida del colegio con Luba y Roberta, evaluando la situación. Era evidente que aunque nuestra presencia en la puerta de entrada al aula no había ayudado a descubrir quién se llevaba las cosas, por lo menos le había impedido el acceso. Pero también estaba claro que no podíamos quedarnos de por vida haciendo guardia en esa puerta. Luba propuso que el lunes tuviéramos una reunión clave en la biblioteca para decidir los pasos a seguir. Roberta y yo estuvimos de acuerdo, pero en su mirada vi el mismo temor que yo sentía: que tal vez no hiciera falta que estuviéramos tanto tiempo juntos.

Me fui caminando a casa muy despacio. Si ese iba a ser el último día de nuestro equipo, quería que durara mucho, mucho tiempo.

Entonces sucedió lo inevitable

Pero el lunes, para nuestra sorpresa, las cosas cambiaron tanto que la reunión en la biblioteca no fue para decidir la futura disolución de nuestro equipo, sino todo lo contrario. Porque esa mañana, poco antes de irnos a almorzar, le faltó dinero nada más y nada menos ¡QUE A LA SEÑORITA INÉS! ¡UN BILLETE DE DIEZ PESOS! Volvíamos del laboratorio, y cuando se acercó a su escritorio se encontró con la cartera abierta y la billetera vacía, tirada en el piso.

Nos dejaron sin recreo. Primero habló ella, después la directora, y cuando terminó la directora fue el turno de la psicopedagoga. Nos dio otra charla casi idéntica a las anteriores, pero con otro tono y velocidad, como si ella hablara en cámara lenta las mismas palabras, abriendo la boca más grande que las otras y sonriendo cada tanto. Ninguna habló esta vez de la posibilidad de que quien perdió el dinero, o sea la señorita Inés, lo hubiera dejado en otra parte. Tampoco hablaron de la conveniencia de marcar las cosas con nombre, lo cual, tratándose de dinero, es tarea sumamente difícil y probablemente inútil. Las tres hablaron, sí, de la desilusión que era para ellas y para "el colegio como Institución" que estuviera pasando algo así. Que no entendían cómo uno de nosotros podía haber tomado algo que no fuera suyo.

—¿Y por qué tuvo que ser uno de nosotros? —preguntó Damián, y extrañamente coincidí con él.

—¿Y quién si no? —dijo la señorita Inés.

—A lo mejor entró un ladrón de la calle... —dijo Morena.

—Imposible —dijo Lorenzo—, en la entrada no dejan pasar a nadie que no sea un alumno o un maestro.

—Pero podría haber sido un chico de otra clase —dijo Marta.

—No pudo ser hoy —aclaró la directora—. Esta mañana primero y segundo grado salieron de excursión; tercer grado fue a una competencia de atletismo en otro colegio, y quinto, sexto y séptimo se pasaron toda la mañana en el salón de actos practicando su representación para la próxima fiesta patria. Por lo tanto, están ustedes solos...

—Están los maestros y usted y la psicopedagoga —dijo Ámbar, y aunque sonó irrespetuoso, sentí cierta admiración; yo no habría tenido el coraje de decir lo mismo, y era verdad que no era lógico sospechar de ellos, pero tampoco lo era sospechar de los amigos de uno.

—Sí, también estamos nosotros —dijo la psicopedagoga con su sonrisa amplia y adelantándose a la directora, que parecía que iba a contestar otra cosa.

Después de la pregunta de Ámbar, los adultos dieron por terminada la charla. Nos informaron que, dada la gravedad del asunto y teniendo en cuenta que no era la primera vez que faltaban cosas en el aula, convocarían a una urgente reunión de padres.

Nos reunimos en la biblioteca esa tarde, como habíamos quedado.

—Al menos reconocieron que no fue la primera vez que faltaba algo —dijo Roberta.

—Tenemos que cambiar de estrategia; quien sea que esté robando ya la conoce —dijo Luba—. Tiene que haber sacado el dinero de la señorita Inés sin pasar por la puerta que vigilamos.

—Tal vez sea útil escuchar qué se habla en la reunión de padres —dije—. Si alguno sabe algo, lo va a decir.

—Buena idea —dijo Luba.

Roberta no dijo nada, pero me sonrió entre sus pecas.

Se acercó Tita a nuestra mesa. Traía

varios libros, todos de detectives y resolución de misterios.

—A lo mejor leer estos libros les ayude en algo. Disculpen que me meta, pero acá se escucha todo —dijo, y se sentó en la mesa con nosotros—. No sé si los llevará a la pista adecuada, pero les aseguro que son cuentos maravillosos.

—Gracias —dijimos los tres.

—Y un consejo que no tiene nada que ver con los libros —dijo, y se acercó a nuestras cabezas como para hablar más bajo—. Nunca se olviden de que el niño que se está llevando cosas que no le pertenecen no es un ladrón sino alguien en problemas...

—¿Qué clase de problemas? —dijo Roberta.

—No lo sé. Pero necesita ayuda —Tita se paró para volver a su escritorio, pero antes de irse agregó—: Se los digo yo, que cuando era chica les robaba a mis amigos en el aula.

—¡¿En serio?! —dijimos los tres, azorados.

—En serio —dijo ella, muy calmada—. Y estaba muy mal lo que hacía, pero no sabía qué otra cosa hacer.

—¿Y cuál era tu problema? —pregunté.

—Quería que mi mamá me prestara atención y no lo conseguía de ninguna manera.

—¿Y así lo conseguiste? —preguntó Luba.

—No por mucho tiempo —contestó con cara de niña triste.

Tita se fue y los tres nos quedamos ahí paralizados. No nos habríamos imaginado nunca que alguien tan buena como ella hubiera hecho una cosa así, ni siquiera de chica. Me dio pena esa niña que fue. Hasta ese momento no había pensado que quien se llevaba las cosas no fuera simplemente un ladrón, aunque fuera alguno de nosotros. Por primera vez nos enfrentamos a una verdad que no habíamos tenido en cuenta. Quien estaba robando necesitaba nuestra ayuda, y eso sí que cambiaba las cosas.

Un listado de sospechosos

Esa tarde, a la salida del colegio, nos juntamos en la casa de Luba. Les dijimos a nuestras madres que teníamos reunión de equipo, lo que no dejaba de ser cierto. Teníamos que analizar profundamente los pasos a seguir. Ya no era cuestión de salir gritando "ahí está el ladrón, ahí está el ladrón", cuando lo descubriéramos. La cosa era mucho más compleja. Tal como había hecho un detective petiso y cascarrabias, pero muy efectivo, de uno de los libros que nos había pasado Tita, confeccionamos una lista con todos nuestros compañeros y sus supuestas motivaciones para sacarles cosas a otros, incluida ahora en esos otros nuestra maestra.

En la clase éramos 20 chicos. Luba, Roberta y yo, después de mucho discutirlo, no nos incluimos en la lista. Si habíamos decidido confiar en nosotros para armar ese equipo, confiaríamos hasta las últimas consecuencias. Estábamos dispuestos a correr ese riesgo, concientes de que, bajo la nueva perspectiva que nos había dado Tita, todos podíamos ser sospechosos.

Sin nosotros tres, la lista se reducía a 17 chicos. El día en que desaparecieron las monedas de Roberta, habían faltado al colegio Joaquín, Lautaro y Antonia, que siempre faltaban los días de lluvia, así que la lista sufría una nueva reducción y quedaba en 14. De esos 14, también tachamos a Ámbar, no porque le tuviéramos simpatía o confiáramos en ella más que en el resto, sino porque fue una de las perjudicadas cuando le sacaron la pluma, y porque el día en que le había faltado el dinero a la señorita Inés se la había pasado todos los recreos en la dirección por contestarle mal a la profesora de Educación Física. Una lista de 13 era un mal augurio que

Luba no estaba dispuesta a tolerar. Para ella el número 13 trae mucha, muchísima mala suerte. Me sorprendió que una chica tan inteligente como Luba pudiera creer en ese tipo de supersticiones, pero en el fondo me gustó que así fuera, la hacía más parecida a nosotros, menos perfecta. Luba dijo que o sacábamos a alguien o poníamos a alguien, porque si eran 13 ella no seguía trabajando, y ni Roberta ni yo nos atrevimos a contradecirla.

—¿A quién sacamos? —preguntó.

—Saquemos a Iván —dije.

—¿Con qué argumento? —preguntó Roberta.

—Porque es mi mejor amigo —dije.

No sé si pesó más que yo lo dijera resuelto y convencido, o la superstición de Luba con respecto al número 13, pero lo cierto fue que ella contestó casi de inmediato:

—De acuerdo, eliminemos a Iván.

Y sin escuchar lo que opinaba Roberta, que empezaba a decir algo muy bajito, Luba tachó el 13 de la lista definitivamente.

Organizamos el resto de los nombres por orden de llegada a nuestra memoria.

Por cada compañero, anotamos su característica distintiva, y qué tenía a favor y qué en contra como para ser o no la persona que estábamos buscando. Fue difícil hacerlo objetivamente: había amigos que jamás hubiéramos incluido en la lista, y otros que hubiéramos señalado con el dedo sin ni siquiera tener pruebas. Por eso, nos obligamos a buscarles puntos a favor y en contra a todos, nos gustaran o no. Teníamos que trabajar como profesionales.

La lista completa fue más o menos así:

1. Lorenzo: el mejor deportista del colegio. Gana todas las competencias, siempre y cuando Damián no haga trampas.

A favor: lo único que le importa en la vida es el deporte, en los recreos corre, juega a la pelota, salta vallas que él mismo se inventa y no le queda mucho tiempo como para andarle robando nada a nadie.

En contra: Es el menor de seis hermanos, y en su casa nunca le compran nada nuevo: hereda ropa, zapatillas, útiles escolares; siempre les pide gaseosa o golosinas a los demás en los recreos porque nunca lleva dinero.

2. Damián: el líder de los varones, a quien todos obedecen, y quien define a qué se juega y con quién o con quién no.

A favor: tiene de todo, es hijo único y sus padres le regalan todo lo que pide. Siempre trae plata al colegio para comprar en los recreos, y le gusta mostrarla y que la vean. Puede tener las monedas que quiera, los billetes que quiera y las plumas doradas que quiera.

En contra: es malo, muy malo, malísimo. Y tonto (esto fue agregado a pedido de Luba).

3. Morena: es la adulta del grupo. Es

adulta desde que estamos en jardín de infantes, o eso le hizo creer alguien y ella se lo tomó al pie de la letra; todos los juegos le parecen tontos y las conversaciones con sus compañeros la aburren; no tiene muchas amigas.

A favor: no se arriesgaría a hacer algo que la llevara a firmar el registro de disciplina; vive con miedo de que por culpa de otro le hagan firmar a ella. La madre la persigue para que saque buenas notas, asistencia perfecta y conducta excelente.

En contra: no habla mucho con nadie, y su mamá es un ogro (esto fue agregado por Roberta que un día fue a tomar el té a la casa). A lo mejor ella también quiere llamar la atención de su madre, como le pasó a Tita cuando era chica.

4. Patricia: es la nueva, la que viene de otro colegio. Es simpática y no le costó mucho trabajo hacerse amiga de todos. A veces exagera queriendo quedar bien con los demás, sobre todo con Ámbar que la usa de secretaria.

A favor: es una chica alegre, que se lleva bien con todo el mundo. Nunca se hace mucho problema de nada y no le gusta meterse en líos.

Lorenzo

Damián

María

Pedro

En contra: no sabe decir que no (sobre todo a Ámbar); es difícil que estuviera robando sola, pero tal vez ayuda a alguna amiga o amigo (eso lo agregué yo).

5. Aníbal: es el chistoso de la clase, para él todo es broma y diversión y por todo se ríe.

A favor: sería una pena que fuera él porque todos lo quieren y siempre es elegido mejor compañero. Además sería muy raro que alguien con tan buen humor estuviera en problemas y se siguiera riendo como todos los días.

En contra: Tal vez quiso hacer un chiste y se le fue de las manos.

6. Marta: es casi tan buena deportista como Lorenzo. En el recreo prefiere jugar a la pelota con los varones o correr carreras, que sentarse a charlar con las nenas.

A favor: está ocupada igual que Lorenzo; no le queda energía para desplegar en algo tan trabajoso como sacarle cosas a sus compañeros.

En contra: le gusta Lorenzo y, cuando hace unos días ella lo enfrentó y le dijo "yo gusto de vos", él le contestó "y a mí qué me importa", por lo que podría estar pasando por un mal momento (yo no estaba de acuerdo con este argumento, pero Luba y Roberta me dijeron que las mujeres, cuando pasan por algo así, son capaces de cualquier cosa).

7. Camilo: sería el mejor alumno si no existiera Luba. Es muy competitivo y todo el tiempo está pendiente de qué nota le pusieron a ella en cada examen, para ver si él sacó mejor nota o no.

A favor: más allá de esto, es un chico correcto. Nunca firmó el libro de disciplina; no se somete a las órdenes de Damián como los otros.

En contra: por no obedecer a Damián, a veces se queda solo y eso hace que se enoje con los compañeros que se dejan manejar por el líder, o sea todos, excepto yo (esto lo quisieron agregar las chicas).

8. Enrique: un sometido total a Damián. No hace nada que no le haya ordenado él, y para tomar una decisión siempre lo consulta.

A favor: no tiene el valor suficiente para hacerlo solo.

En contra: a lo mejor lo hace para demostrar que sí tiene valor, o lo hace en equipo con alguien.

Nota: Su hermano encontró un billete

a la salida del cine y, en lugar de devolverlo, se compró palomitas de maíz; podría estar trabajando en combinación con él.

(Luba aclaró con énfasis que, para ella, lo que haga el hermano de uno no demuestra nada, pero igualmente incluimos el argumento en la lista. Luba tiene un hermano mayor que es muy mal alumno, se porta pésimo y siempre tiene que recuperar exámenes a fin de año; esto no fue incluido en la lista, pero los tres lo sabemos).

9. Teresa: Ámbar y compañía la cargan por su cuerpo: le dicen "gorda", ella sufre y, en lugar de enfrentarlas, hace lo imposible por agradarles y pertenecer a su grupo; les hace regalos, las invita a su casa, y así logra pequeñas conquistas que la ayudan a soportar los malos tratos.

A *favor:* no le habría robado la pluma a Ámbar; está todo el tiempo tratando de quedar bien con ella.

En contra: tal vez, en lo más profundo de su corazón, lo que más desea en el mundo es fastidiar a Ámbar y sí le robó la pluma.

10. María: este año está muy triste. Los padres se separaron, ella vive unos días

en la casa de su papá y otros en los de su mamá, y eso hace que cada tanto le falte lo que necesita para el colegio al día siguiente. Era buena alumna, pero este año bajó el rendimiento.

A *favor:* es buena compañera, siempre está dispuesta a ayudar a los demás, es solidaria.

En contra: tiene problemas, está pasando por un momento muy difícil.

11. Pedro: se pasa todo el día soñando e inventando historias. Siempre está distraído, mirando por la ventana. La maestra lo reta todo el tiempo. Nunca alcanza a copiar lo que está en el pizarrón; tiene todas las carpetas incompletas.

A *favor:* sus fantasías son mucho más entretenidas que andarle sacando nada a nadie.

En contra: a lo mejor se cree protagonista de una de sus historias y, aunque robó tres monedas, una pluma y un billete, él lo vive como si fuera el pirata Barbazul y abordara una nave enemiga en busca de un nuevo botín conquistado en mares del aula de cuarto A.

12. Carmela: lo único que le importa en el mundo es ver la televisión, comprar-

se ropa y averiguar quién gusta de quién para después contárselo a todos. Le gusta que la llamen Carmu, y así marca sus útiles y su ropa.

A favor: la madre es igual a ella y nunca le hace problema cuando se quiere comprar algo. En los recreos se la pasa chismoseando con sus amigas y no le queda mucho tiempo libre para los robos.

En contra: en la novela de las cinco de la tarde, que Carmela nunca se pierde, una de las protagonistas les roba a sus compañeras en venganza, porque cree que nadie la quiere (esto me lo dijeron las chicas, porque yo no veo esas cosas).

Un renglón más abajo aparecía el 13 tachado, bien tachado y terminaba la lista.

Miré por la ventana y estaba oscuro. La tarde se había ido y, con ella, nuestras fuerzas. Habíamos trabajado muy duro. Teníamos que recuperarnos para el día siguiente: a las ocho en punto habían sido convocados los padres y debíamos encontrar la forma de escuchar qué se hablaba en esa reunión.

Quedamos en encontrarnos un rato antes debajo de la ventana lateral del aula. Generalmente las reuniones de padres se hacen en nuestra propia aula, mientras a nosotros nos llevan a un recreo especial o a la biblioteca. Sentados allí, en el piso, debajo de la ventana, escucharíamos perfectamente qué se hablaba adentro. Luba no estuvo de acuerdo.

—Si cierran las ventanas, no vamos a escuchar nada.

—No las van a cerrar, está haciendo mucho calor —dije.

—¿Y si alguien nos ve? Nos sacarían de inmediato —insistió Luba.

—Es una ventana lateral, apostemos a que la suerte nos va a acompañar y nadie va a pasar por ahí —dijo Roberta.

—No sé... —siguió dudando Luba.

Sabíamos que podía ser que tuviera razón. Pero estábamos demasiado cansados y a nadie se le ocurría una mejor idea. Sonó el timbre; era la madre de Roberta que la venía a buscar para llevarla a su casa. Yo también me iba con ellas, me dejaban de camino.

—Está bien, sigamos pensando, y si esta noche no se nos ocurre nada, escucharemos debajo de la ventana —dijo Luba y parecía resignada.

Aunque, conociéndola, me debería

haber imaginado que no dormiría hasta encontrar una opción que la dejara más tranquila.

Reunión y tragedia

A las ocho menos cinco, Roberta y yo ya estábamos en el colegio. A ninguno de los dos se nos había ocurrido nada mejor, así que, a menos que Luba nos sorprendiera con alguna de sus ideas, escucharíamos debajo de la ventana lateral. Era raro que Luba no hubiera llegado; siempre era muy puntual, y más tratándose de una cosa así. Pasamos al patio y, sin que nadie nos viera, nos instalamos debajo de la ventana. Desde nuestro escondite escuchamos la campana, el murmullo de los chicos en la formación y luego los pasos de cada grado marchando hacia su aula. Excepto cuarto A, que se quedaría en el patio con una auxiliar hasta que terminara la reunión de padres. Sentado ahí, agachado sobre el pasto, tratando de no mojarme los pantalones con el pasto todavía húmedo por el rocío, junto a Roberta, con su cara llena de pecas y su sonrisa callada, me sentí el chico más afortunado del colegio. Y no pienso aclarar por qué; sólo lo digo: yo era el chico más afortunado.

Roberta, cada tanto, miraba el reloj, impaciente. Para las ocho y diez nos convencimos de que a Luba le habría pasado algo y ese día no vendría al colegio.

A través de la ventana, primero escuchamos charlas desordenadas, risas, exclamaciones, y luego el silencio y la voz de la directora que narraba otra vez los hechos que conocíamos de memoria. Cuando terminó, hablaron los padres. Estábamos ansiosos, sobre todo yo, que apostaba a que, de sus palabras, sacaríamos alguna pista importante. Sin embargo, nuestro entusiasmo decaía a medida que la reunión avanzaba. Anotamos todo lo que escuchamos en nuestra libreta por una cuestión de

estricto rigor profesional. Habíamos leído en uno de los libros de Tita que cualquier pista insignificante podía convertirse en la más valiosa a la hora de dilucidar un crimen. Pero sospechábamos que lo que estábamos escuchando no serviría de mucho.

El padre de Damián fue el primero en hablar y dijo que él pagaba puntualmente la cuota y que, por lo tanto, exigía el compromiso de la "Institución Educativa" de que atraparían a "ese aprendiz de ladrón, un muy mal ejemplo para mi hijo". Una voz que no pudimos identificar a qué madre pertenecía, propuso instalar cámaras de video en el aula. La madre de Morena dijo que, antes de instalar nada, deberíamos sospechar e investigar a los hijos de las madres ausentes, porque si no habían ido a la reunión, enfatizó, "es que poco les importa el asunto y, lo que es peor, sus propios hijos". Pensé en mi mamá, que no había ido, que todas las mañanas se levantaba muy temprano para ir a trabajar, y casi me paro y grito por la ventana "¡Qué injusticia más injusta, señora!", pero claro que no dije nada. El papá de Camilo propuso que hasta que se resolviera el asunto de los robos se revisaran todos los días las mochilas de los chicos antes de irse a casa, uno por uno. La mamá de Camilo dijo que se oponía terminantemente a que revisaran las mochilas como si todos fueran ladrones, lo que produjo una pequeña discusión entre ellos y las risas del resto. El padre de Marta dijo que "no hay futuro... Con chicos así de mal educados, el país seguirá estando así como está".

—¿Está cómo? —me preguntó Roberta.

—No sé, ni idea... Endeudado, supongo —le dije.

La madre de Ámbar propuso cerrar el aula con llave en los recreos; la de Carmela, poner una celadora permanente en la puerta; el padre de Roberta, que trabajaba en un banco, sugirió numerar los billetes que llevaba cada chico al colegio y chequear la numeración cada vez que alguno de ellos gastaba plata en el quiosco.

—Mi papá se volvió loco... —me dijo Roberta bien bajito.

A nadie parecía importarle "ese aprendiz de ladrón", como lo había llamado el padre de Damián. Y era evidente que nadie pensaba que su hijo pudiera serlo.

—No sé si todos podrán hacer lo mismo, pero yo por mi hijo pongo las manos en el fuego —dijo la mamá de Pedro.

—Yo por la mía, también —dijo el padre de Patricia.

—Mi nena sería incapaz —dijo una tercera voz que no identificamos.

Roberta me miró vencida.

—Si todos ponen las manos en el fuego, alguno se va a quemar —me dijo.

La reunión terminó. Roberta y yo nos apuramos a juntarnos con los otros en el patio, antes de que la maestra notara nuestra ausencia. Intentamos incorporarnos al grupo sin despertar sospechas, y con la esperanza de que Luba hubiera llegado tarde y estuviera allí. Pero no estaba. La señorita Inés salió al patio y le indicó a la auxiliar que pasáramos al aula. Formamos uno detrás del otro y entramos. Con nuestras mochilas colgando, no habíamos podido dejarlas antes de la reunión. Y ese fue el desencadenante de la tragedia. Una tragedia que igualmente, de un modo u otro, se iba a desencadenar. Cuando Ámbar, la primera en entrar al aula, fue al *placard* de las mochilas a dejar la suya, abrió la puerta y se quedó petrificada ante lo que encontró dentro: Luba, pálida y a punto de caerse redonda. Ámbar gritó:

—¡Luba! ¿Qué hacés ahí?

Y todos los que estábamos detrás de ella en la fila para dejar las mochilas nos asomamos por los costados a espiar lo que veía y gritamos también:

—¡Luba!

Roberta y yo nos adelantamos, pero no atinamos a decir ni a hacer nada. La señorita Inés corrió hacia el *placard*, la miró muy seria y dijo:

—Me vas a tener que explicar muy bien qué hacías dentro de ese *placard*, Luba.

Luba, que miraba sin expresión, me miró luego a mí, miró a Roberta, miró otra vez a la señorita, y llegó a decir:

—Se trabó la puerta.

Y se desplomó en el suelo, desmayada.

La señorita Inés le dio aire agitando las hojas de la prueba de Matemáticas, hizo que Pedro le trajera urgentemente un vaso de agua y, cuando Luba reaccionó y pudo pararse, la llevó a la enfermería para que la revisaran. Salió la maestra con ella y, aunque quedamos solos, casi no nos movimos de donde estábamos. Por un motivo o por otro, todos habíamos quedado petrificados tratando de entender qué estaba pasando. Me acerqué apenas a Roberta.

—Parece que se le ocurrió otro lugar mejor desde donde escuchar la reunión —le dije.

—Otro lugar, sí. Mejor, ya ves que no...

A los pocos minutos vino la auxiliar.

—Tranquilos, chicos, Luba está bien. Fue una mezcla de susto y falta de aire dentro del *placard*.

Era una buena noticia, pero no suficiente para que Roberta y yo dejáramos de preocuparnos. Iba a ser difícil explicar por qué Luba estaba ahí, sin que termináramos firmando los tres el registro de disciplina. No dijimos una palabra; sólo nos mirábamos todo el tiempo y los dos sabíamos lo que pensaba el otro.

Mientras esperábamos a que regresara la señorita Inés, la maestra auxiliar nos hizo practicar las tablas. Cuando íbamos por la tabla del tres, como era de esperarse, empezaron a correr las primeras voces. Ámbar fue la primera que se atrevió a decirlo:

—Seguro es Luba la que robaba, y por

eso estaba escondida en el *placard*, para robarle alguna otra cosa a alguien.

Y a ella se fueron sumando uno a uno casi todos los chicos del grado.

—Yo me lo imaginaba desde el día en que le faltó la pluma dorada a Ámbar —dijo Carmela por su parte—. Luba era la única que sabía dónde estaba.

—Si ella era la que robaba, ¿ya no la pueden elegir mejor alumna, no? —preguntó Camilo, interesado.

—Se lo merece por agrandada —dijo Damián con una voz exageradamente alta.

—Yo un día vi que Luba tenía tres monedas de un peso igualitas a las de Roberta —dijo Morena.

—Se lo merece por agrandada —volvió a decir Damián.

Para cuando habíamos terminado la tabla del nueve, en el aire del aula flotaba la certeza absoluta de que "la ladrona" era nuestra amiga y compañera de equipo.

Ese día ya no pudimos hablar con Luba. Habían llamado a su madre para que la viniera a buscar.

La señorita Inés volvió a la clase y siguió con lo planificado sin decir una palabra. Los murmullos se alzaban por encima de su voz más que ningún otro día, pero nadie se atrevía a preguntarle. Sonó la campana de salida, y estábamos en la fila esperando nuestro turno para irnos a casa, cuando Morena ya no aguantó más y le preguntó:

—¿Ya saben si Luba era la que robaba?

La señorita Inés no contestó en forma directa. Pero dijo:

—Luba no quiere hablar. Ha sido suspendida por tres días para que reflexione sobre lo sucedido.

Todos nos quedamos petrificados. Los que sabíamos que Luba no era quien robaba, por la injusticia cometida. Los que no, por la rápida confirmación de que "ladrón" y "mejor alumna" fueran la misma persona.

Estaba tan nervioso que pensaba que sólo Roberta y yo sabíamos que Luba era inocente. Pero, cuando marchábamos hacia la salida, me di cuenta de que no éramos los únicos: quien se hubiera llevado las monedas de Roberta, la pluma dorada de Ámbar y el billete de diez de la señorita Inés, también sabía que Luba no era a quien buscaban.

Miré a mis compañeros alrededor mío, que salían apurados para llegar a sus casas, pero no encontré ninguna señal. No noté ningún gesto raro, ninguna cara gacha por sentirse culpable. Nadie que pareciera preocupado por Luba.

Nos fuimos caminando cabizbajos. Roberta y yo teníamos claro que si Luba, para protegernos, no se atrevía a decir por qué se había metido en el *placard*, éramos nosotros los que debíamos decir la verdad. No fue necesario recordarlo, pero también los dos sabíamos que si Roberta y yo firmábamos el libro de disciplina, perderíamos la beca del colegio, y a nuestros padres se les iba a hacer muy costoso pagar la cuota completa. Cuando estábamos por llegar a la avenida, nos alcanzó Iván sin que nos diéramos cuenta.

—Luba no fue... —nos dijo—. Yo sé que no fue...

Y los tres seguimos caminando callados.

Cuando llegamos a la siguiente esquina, todos tomamos caminos distintos. En la soledad de la marcha, cada uno a su manera siguió pensando en Luba.

Cada cual atiende su juego

No dormí en casi toda la noche. Y, dando vueltas en mi cama, tomé una resolución: a la mañana siguiente me presentaría en la dirección y diría la verdad, que formábamos un equipo, que teníamos muchos sospechosos, que habíamos planeado escuchar la reunión de padres, y que Luba se encerró para eso en el *placard* y luego no pudo salir. No mencionaría que Roberta era parte del equipo, no tenía sentido que ella también perdiera su beca. Hablaría de mí y de Luba; con dos que firmáramos el libro de disciplina sería suficiente.

Me levanté temprano, caminé ligero, entré al colegio y fui directo a pararme frente a la puerta de la dirección. Ni la directora ni la secretaria habían llegado, pero, para mi sorpresa, tuve que hacer cola. Habían llegado antes que yo y esperaban ahí parados: Iván, Roberta, Teresa y Aníbal. Todos teníamos algo para decir. Lo que venía a decir Roberta, ya me lo imaginaba. Conté a mis compañeros mi parte, Roberta la suya, y luego indagué al resto. Les costó empezar, pero, al ver que no estaban solos, se fueron aflojando. Todos nos sentíamos, de alguna manera, culpables de lo que le estaba pasando a Luba.

—Yo tomé las monedas del monedero de Roberta para hacer un truco de magia —confesó Aníbal y fue el primero en hablar—. Nadie tenía monedas y, si no hacía el truco, quedaría mal delante de Damián y sus amigos. Pensaba devolverlas, pero se me cayeron del bolsillo en el recreo, y no las encontré más; y llovía, el patio estaba lleno de gente —miró a Roberta y dijo—: Perdón. No las pude devolver a tu monedero antes de que te dieras cuenta. Después todo se complicó demasiado y ya no

sabía cómo decirlo. Acá traje unas de mis ahorros para dártelas. Luba no robó esas monedas; fui yo. Pero hay algo extraño: yo no robé ni la pluma de Ámbar ni la plata de la maestra.

—La pluma la robé yo —dijo Teresa—. Estaba harta de que Ámbar todo el día me refregara por la cara que ella tenía pluma dorada y yo no. Fui una tonta. Y Luba no se merece esto, ella siempre fue muy buena conmigo —se le llenaron los ojos de lágrimas—. Ella y vos —dijo mirando a

Roberta— son las únicas que no se burlan de mí por todo. Acá traje la pluma de Ámbar, ni siquiera se la usé. Pero yo no robé la plata de la señorita Inés, eso lo juro.

—La plata de la señorita la robé yo —confesó Iván—. Me moría por que Luba se fijara en mí —dijo y se puso colorado—. Pero yo no existía para ella, Luba sólo tenía ojos para atrapar a ese ladrón. Entonces me convertí en el ladrón, por Luba, para convertirme en alguien importante para ella.

Iván hizo una pausa, yo lo miré, quería decirle un montón de cosas, hasta abrazarlo, pero ese no era el momento.

—Todo salió al revés y la terminé complicando a ella. Traje los diez pesos para devolverle a la maestra.

En ese momento, llegó la secretaria.

—¿Necesitan algo?

Y antes de que alguien respondiera, me adelanté.

—Nada, nada... Estábamos charlando un poco... —dije y los demás no entendieron, ni siquiera Roberta.

—Bueno, a charlar al patio, que ya suena la campana —dijo la secretaria y nos empujó suavemente.

—¿Qué pasa, Ramón? —preguntó Roberta, todavía sorprendida.

—Confíen en mí y espérenme en la biblioteca en el primer recreo. Tengo un plan.

Todos, menos Roberta, se mostraron entusiasmados; a los chicos les encantan los planes, sobre todo si son secretos. Roberta estaba cansada de que nos metiéramos en líos, pero de todos modos aceptó.

—Lo hago por vos —dijo.

Y no me puse colorado, pero sentí que me iba a caer al piso como Luba el día que se escondió en el *placard*.

Cuando llegaron a la biblioteca, yo ya estaba esperándolos allí. Ni Roberta sabía lo que me traía entre manos. Lo había leído en uno de los libros de Tita, y ella me ayudó a preparar todo. Les mostré un sobre de papel madera y les pedí que pusieran las cosas adentro: las tres monedas de Roberta, la pluma dorada de Ámbar, el billete de diez pesos de la señorita. Y luego les dicté una carta. Cada uno debía escribir como máximo tres palabras para que la señorita Inés no pudiera reconocer la letra. La carta decía:

Estimados amigos de cuarto A:
Perdonen lo que he hecho, acá les dejo lo que me llevé y es suyo. Luba es inocente.
Espero que sepan perdonarme.
Un chico equivocado.

Tita estuvo de acuerdo con la redacción. Roberta objetó que dijera “chico”, ya que también había chicas involucradas, y lo cambiamos por “alguien equivocado”. Antes de que tocara la campana, Iván entró al aula, mientras nosotros nos encargábamos de distraer a la maestra, y dejó el sobre arriba de su escritorio. Delante del sobre habíamos escrito en letras bien grandes:

Para: Cuarto A
De: Alguien equivocado

Cuando la señorita Inés entró, vio el sobre y miró con desconfianza. Lo abrió sin decirnos nada y se encontró con las cosas recuperadas y la carta. Tuvo que respirar antes de decirnos lo que estaba pasando. Leyó el texto a la clase.

—¿Pero no dice quién fue? —preguntó Ámbar.

—Sí, dice "alguien equivocado" —contestó la maestra.

Devolvió las cosas a sus dueños y se guardó el billete, que era suyo, en la cartera. La señorita Inés se quedó observando la carta, evidentemente, y aunque lo guardara en secreto, quería saber quién se ocultaba tras el anónimo. Pero no pudo sacar ninguna conclusión acerca de la letra.

—Podríamos darle la carta a la policía para que busque las huellas digitales —dijo Damián, y adiviné que su proposición les paralizó el corazón a Roberta, a Teresa, a Iván y a Aníbal, como a mí.

—No creo que sea necesario —dijo la maestra, y nuestro corazón latió otra vez—. El caso está resuelto. Evidentemente, la reunión de padres ha dado sus frutos.

Roberta se acercó a mi oído y me dijo:

—¿Qué frutos dio?

—Manzanas o bananas, supongo —le contesté.

Nos reímos. Roberta me guiñó un ojo y las pecas de su cara brillaban otra vez.

Llamamos a Luba y le contamos las novedades. La directora le redujo a un solo día la suspensión; estaba comprobado que nada tenía que ver ella con los robos, pero esconderse adentro del *placard* a escuchar cosas que no debía era una actitud que "exige ser sancionada".

Luba nos invitó esa tarde a tomar el té a su casa a la salida del colegio. Le pedí llevar a Iván y estuvo de acuerdo.

Tomamos el té más rico de todos los tés que habíamos tomado en nuestra vida. Con pastelitos de dulce de membrillo. Después del té, hicimos un nuevo juramento, esta vez con cuatro manos sobre la mesa. Iván había sido incluido en el equipo.

—Próximo enigma, próxima investigación, próximo equipo: Roberta, Ramón, Luba… e Iván —dijo Luba y nosotros repetimos:

—Próximo enigma, próxima investigación, próximo equipo: Roberta, Ramón, Luba… e Iván.

—¡*Hip, hip, ra*! —dijimos y levantamos las cuatro manos al aire.

hip-hip-ra